Cookie

# NANA
ナナ

**19**

矢沢あい

〈いままでのお話〉

母親のことを週刊サーチにスクープされたナナ。記事を読んだ奈々はナナの心境を察し、レンが戻るまで一緒に暮らすことにする。

ツアーを目前に控え、リハーサルに気合が入るブラストのメンバーだったが、シンの行動に異変が見え始める。ヤスや美里(舞)の不安が的中し、ツアー初日を目前にシンは警察に捕まってしまう。ツアーの中止を避けるため、ナナはプライドを捨ててレンにベースを弾いてほしいと頼むのだった。しかし、レンはそんなナナの行為を、身勝手であると責め、ベースを弾くことを拒んでしまう。

結局、ツアーは中止になりブラストは活動休止を余儀なくされる。途方にくれるナナに今度はソロ活動の話が持ち上がる。バンドを守るためナナはソロで歌う決意をするが…!?

♥くわしい物語は、
「NANA―ナナ―」
①〜⑱巻
(発売中)でどうぞ!!

朝が来る度 遠ざかって行くあの頃を

あたしは今夜も抱き寄せて眠るの

夜の波に攫われないように

子供がいるからとか
仕事があるからとか

今すぐナナを
探しに行けない理由は
色々あるけど

あたしはやっぱり
怖いんだと思う

伸ばしたこの手を
振り払われる事が

NANA
—ナナ—

[第70話]

笑い事じゃないよ
淳ちゃん！

よりによって
あんな前科者の
ろくでなしに
惚れるなんて！

人の事
言える？

サッキは奈々と
同じ面食いのDNAを
受け継いでるんだよ

先が思い
やられるね

だいたい年
離れすぎ
だし！

それであんたは
その後どーなの？

皐が春休みに
入ったら
イギリスに
行こうと
思ってる

16

ぷす

本読んで
あげてたら
寝ちゃったよ

でも明日
学校なのに
また夜眠れなく
なっちゃうよ

いーじゃん
寝かせ
とけば

ほんとだ
しかもん様の
ベッドで…

ごめんね

サッキ

夕飯食べてく
でしょ?

何がいい?

あたし
作るよ

ケータリングで
いーじゃん

お互い
忙しいんだし
たまには
手抜きしようよ

302

プルルルッ

ただいま——

こら
皐！

プルルル

プルルル

電話だ

靴！！

サッキ
で
出る——！

パタン

20

あ♡

もしもし
一ノ瀬ですぅ

パパ!?

うん
元気
だよ♡

今日は
ママと一緒に
お買い物して
淳ちゃんちで
ピザ食べたの

ちょっと
代わって

皐

え——

もっとしゃべりたい——

あとでね

ちゃんと靴を脱いで
手を洗って
うがいを
してから

は——い

おまえは手を洗ってうがいをしてからじゃなくていーのかよ

もしもしタクミ？

・・・・・・・

それよりどうしたの？

何かあった？

こっちは別に変わりないけど

例の店の場所が分かったぞ

大人ってのはつくづく勝手だな

TAKUMI！

ほんとに？

ああ

詳しい事は
パソコンにメール
送ったから見て

ありがとう

うん

礼ならナオキに
言えよ

走り回ったのは
あいつなんだから

じゃーな

うん

電話
しとくよ

ねえ　ナナ

春休みまであと一か月

もう何処にも行かないで

あたしも逃げないから

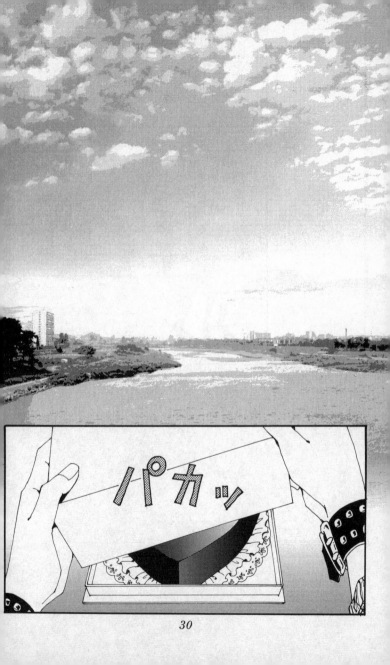

いや知ってるけど

すでにファンから食いきれない程のチョコが届いてるし

あんたまでくれなくてい——のに

食べちゃダメ!!

何それ

これ あたしのキモチ♡

は?

これはナナがレンにあげるんだから!

ナナは忙しくてチョコ買う暇なんかなかったでしょ?

だからあたしが代わりに作っといた♡

パカッ♡

おーーきな
お世話だよ

そんないつまでも
強がってないで

これを持って今夜こそ
お家に帰るのよ？

あたしの家は
ここだけだよ

自分で探して
見つけたんだし

明日からよろしくね 奈々ちゃん

何があったの？
レンと

別に何も

そしたら
ナナちゃんが
レンに電話して

シンちゃんの代わりに
ステージに立ってくれって
頼んだんだけど
断わられたんだって

やっぱりあたしじゃ
相談相手には なれないのかな

ほんとは知って
るんだけど

それでナナ
怒ってるんだ…

怒ってるって
言うか…

プライドを捨てて
まで縋りついたのに
拒否されたわけだし

傷ついたん
じゃない？

しかしナナちゃんも
勝手だよね

34

レンの立場を考えてあげてたらそんな無茶な事頼めないと思うし

だいたいトラネスをライバル視してる事もいちいち態度に出すべきじゃないよ

でもナナがトラネスをライバル視するのはそもそもレンが裏切ったから

レンはどうする事も出来なくてきっとすごくストレスだよ

レンは確実にプロになれる道を選んだだけでブラストを蹴落としたわけじゃないでしょ?

それは別に裏切りじゃないと思うけど

レンがナナちゃんの為に全てを犠牲にする必要はないと思う

それがたとえ裏切りだとしても

そんなの
ただの
償いだよ

フェアじゃない

カチャッ

ナナが
トラネスを
ライバル視
するのは

もしかして
あたしが
裏切った
せいもあるのかな

別に許されたい
からじゃない

だけどあたしが
ナナの為に何か
したいと思うのは

ナナのとこ
行ってきます。
食べてね♡

食うヒマ
ねえし

また
かよ

は

パカッ

ポンッ

まだ怒って
たのか

いったい何を…

ほんと女って
分かんね

おはよー
タクミー♡

ハロー　ダーリン♡

これあたしの気持ち

キュン♡

ぞわっ

いらねえよ！

って受付のミキちゃんがくれたんだよ

どーゆー気持ちかな

「あたしを食べて♡」とか？

いいとも！

それよりおまえナナちゃんとさっさと仲直りしろよ

……………

ナナちゃんが
707号室にいるせいで
うちの奥さんまで
入りびたりで迷惑
なんだけど

さっさと
連れて
帰ってくれ

なんだ

あいつも家出
してたのかよ

おまえはどこで
寝泊まりしてんだよ

どこの
女だ

2606
号室？

あの部屋はレンに譲ってあたしは渋谷のマンションに帰ってるのよ

変な誤解しないでよ――

もうホテル暮らしは飽き飽きだったしちゃんと社長の許可も取ったもん

メイクルーム A
TRAPNEST レイラ様

......

成田の許可なんか無意味だ

聞いてねえよ

そんないちいち全部タクミに報告してられない

彼氏でもないのに――

まあ おまえがどこに住もうと勝手だけど

レンの家出の片棒かついでどーすんだよ

あの2人が仲良く協力してくれないとシンと会う計画も上手く行かないよー?

43

ねえ　ナナ

あたしがナナに会いに行くのは

ナナはとっても反省しています。本当にごめんなさい。今夜707号室に迎えに来てあげて下さい。お願い！
♡ハチ子♡

……………

はっ

レン

チョコは美肌に悪いよ？

おれが食べてあげる♡

許されたいからじゃないの

46

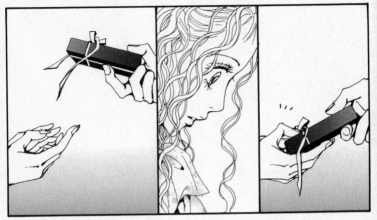

今もナナを好きだから

ただそれだけだよ

別にタクミの忙しさに
文句を言いたいわけじゃない

タクミがあたしと
会えない時間も

全然寂しいと思って
なさそうな所が

寂しかったの

美少年を
売春斡旋

TRAPNEST
レイラと
見紛う
美女

ブラストのメンバー少年

美人スチュワーデスの闇の顔

麻薬密輸
巧妙な手口

週刊婦人

NANA
ソロ
活動
宣言!!

シンちゃんと
一緒に写真に
写ってたのは
きっとこの女だ

‥‥‥‥

レイラ似のスチュワ‥‥

ここが公の
場でなければ
叫びたい

レイラさんじゃ
なかったんだ

その女
売春クラブ紛いの
サイトもやってたんだってね

また付けられちゃった

アクセスして来た客に
自分が調教した少年達を
紹介して金稼いでたとか

……

待ってよ
奈々さん

なんでナナと
レンは別居
してんの？

何の用？

シンは
その事でも
取り調べ
受けてるん
じゃない？

もし教えて
くれたら…

もう
取り引きは
一切しません！

さようなら！

は

タクミやナナは確かに
勝ち組だけど

君はただの勘違い女だ

でもタクミは今夜も遅くなるのかな

今日一日あたしの
やるべき事はなんだろう

手の込んだ豪華な
ディナーでも作ろうかな

バレンタインだし

あたしがこうして
いる間も

タクミがあの
才色兼備な
歌姫の事を
ずっと見つめて
いるのかと思うと

おれが気づかないとでも思った？

また
叫びたく
なる

あたしには

タクミが認めてくれた歌があるから

レイラさんは仕事の為に
別れたんだから

意地でもはりきるしかないじゃん

歌ってなければ価値がないなんて

あんなセリフが聞きたくて
あいつと別れたわけじゃねえ

いいかげん なんとかしてやれ

ただの愛人の一人に成り下がる気か

なりたい…

もしも
あの女が
恋敵に
なったら

あたしは
きっと
何ひとつ
勝てない

でも大丈夫！

タクミはシンちゃんと
レイラさんを会わせる
方法もちゃんと考えて
くれたわけだし

ピルルル〜

不公平
だよ
大魔王

立ち上がり続けりゃ勝つんだよ

きゃっ♡
きゃっ♡

・・・・・・

くすくす

ナナとおんなじ事言ってる♡

そりゃあいつがおれのネタパクってんだよ

著作権の侵害だな

くすくすくす

66

それが出来たら
苦労しねえよ

そのうち
必ず迎えに
行くから

それまで
ナナの事
よろしくな

きっと
ナナとレンは
引かれ合う
力が強すぎる
だけだよ

ぶつかると
壊れてしまう程に

コン
コン

そーだね

早く仕事こなして帰らなきゃ

またタクミさんに怒られてたんですか？

マスカラが…

パタン

ただの愛人の一人に成り下がる気か

大丈夫…

メイク直してすぐ行く

ピン

カッ

カッ

カッ
カッ

あいた

本城さん

そろそろ
リハの時間
ですよ

それどころじゃ
ないみたい

30分のばせ

え?

ねーナナ

NANA
ソロ活動プロジェクト

あんたいつまで
あのマンションに
いる気なの?

いーかげん
レンの所に
帰りなさいよ

またマスコミが
騒ぐわよ?

それより
さー
銀平

あの例の連ドラの話って

もう今更
受けられないのかな

そんな事
ないわよ!

あんたさえ
やる気になりゃ
向こうはいつでも
オッケーよ!

じゃー
今すぐ
連絡して

主題歌も
使ってくれるん
ならやるから

あたしだって
その気になりゃ
演技ぐらい
出来るって

なんだよ

見直したわネナ!

えらい!

でも…

遅いなナナ

7時には帰るって言ったのに

タクミみたい

ガチャ

こ…

お帰りなさーい♡

まだいたの!?

ぶんぶんぶん

明日食うから！

ごはん出来てるよ♡

仕事の打ち合わせがてら食って来た

腹いっぱい

じゃーお風呂ためるから一緒に入ろ♡

着がえモ買ったし♪

つーか帰れよ

もう10時だぞ？

まあ
いつか

あたしも
いっそまた
ナナとここに
住もうかな

おいしい♡

きゅぴっ

レンが迎えに
来るまで

ナナの為に
作った事には
変わりないん
だから

でも そうも
いかないか

こ

そー
すれば？

81

え？

レンかも！

だって
バレンタイン
だし

気が
変わって

だから何？

どちらさん？

おれ

チョコレートなら
やんねえぞ?

何しに
来たんだよ

カチャッ

ヤスも良かったら
食べて?

ミューさんに
遠慮してヤスの
分は作らな
かったんだけど
自信作なの

ああ

ありがとう

それは残りが
あったよ

でもミューさん
今夜からロケで
しばらくいないん
でしょ?

あたしの
ケーキだぞ

食うな

でも
やりたがってた
役が
取れて喜ん
でたから良かったよ

さみしーね

そーねー

一人じゃ何も出来ないあたしを救ってくれた

ご主人様の所に

もしもナナがまたあの部屋に戻ったら

白金の家は今度こそ引き払ってもいいよ

ねえ ナナ

子連れのバツイチでもいいかな

I love you

LAYLA

ナナと707号室を後にして
白金のマンションに帰ったら
何倍もあるはずの部屋が
急に狭苦しく感じた

上京した時
無限の可能性がある様に
思えた未来は

全てここに収まる形に
しなければいけないんだ

ALEXCEL
SHIROKANE

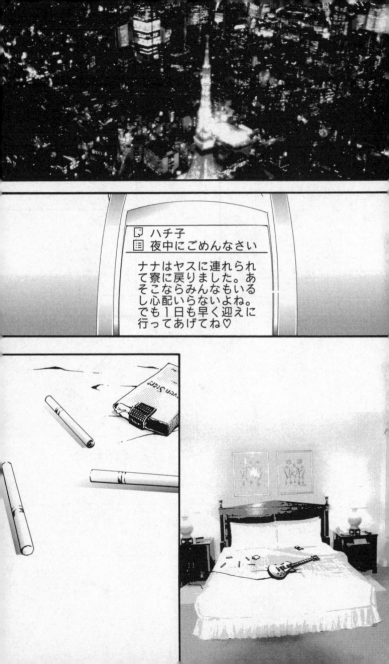

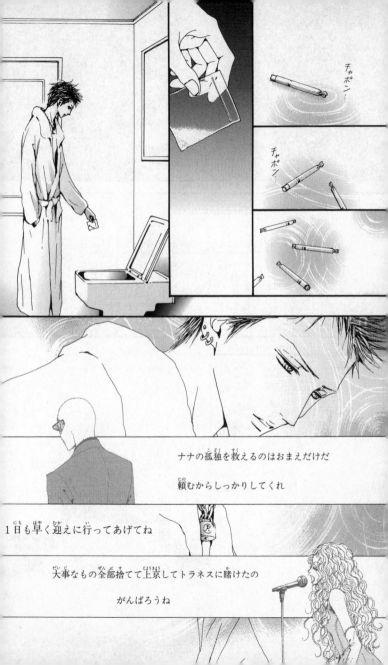

チャポン…

チャポン…

ナナの孤独を救えるのはおまえだけだ

頼むからしっかりしてくれ

1日も早く迎えに行ってあげてね

大事なもの全部捨てて上京してトラネスに賭けたの

がんばろうね

だけど多少
息苦しかろうと

ここがあたしの
生きる場所

行きたくない…

え?

どこに?

……仕事?

もう怒ってないよ？

じゃー今日はサッちゃんと3人で散歩でも行くか♡

全然元気じゃん

仮病

?!

タクミが稼いでくれないとあたしと幸子が飢え死にするんだからしっかり働いてよ！

ワンワン

サッちゃん

・・・・・・

ヒュ

あそーだ！

昨日ヤスから聞いたんだけど

シンちゃん今月中に寮に帰って来れそうだって！

え？
うち？

シンちゃんとレイラさんを
家で会わせてあげたら
どうかな♡

別に家でも
問題ないと
思うんだけど

それとも
レイラさんを
家に呼べない
個人的な問題でも
あるの？

ねえよ
笑顔で聞くな
怖いって

じゃー
いいじゃない♡

今日レイラさんも
一緒の取材
なんでしょ？

よろしく
言っとい
てね！

怪しい

は─

やっぱり何か気がするあの2人

どうしたんだよタクミため息ばっかりついて

なんでこんなタイミングでこんな疲れる仕事入れるんだよ

しかもホテルって…

…っ……?

タクミ！

おまえが金田さんがインタビュアーなら受けるって…

タク妻は!?

え！！

失礼だろ

断りもなく写真撮る人とかいるし

パシャ♡パシャ♡

なんか最近顔広まっちゃってウザいんだけど

でも今日はこれ一本だけだから

いつもよりは楽だろ？

だけどたとえ何があろうと

人生は七転び八起き

もう小娘みたいに泣き寝入りはしない

ゴォォォォォ

断固戦う！！

ドキーーッ

タクミさん
かな

あ

よーし
完成♡

きれいな
色だね——

超べっぴん♡

うれしい♡

ピンポーン

これ
日本で未発売
なんだけどねー

気に入ったんなら
来週海外行くから
買って来てあげるよ

カチ

…………

ガソリン

何がいい
ですか？

飲み物
取りますけど

…………

無理です

コーヒー
にしま
しょう

ハイオク
漢だん…

101

OK？

NANA

NANAソロ活動プロジェクト
プロデューサー
日々野 基(30)

じゃあシングルの
発売日は4月3日
って事で！

来週からさっそく
レコーディングに
入ってもらうからね

……あい

販売部

お疲れ様でした

松尾！

どこに行けば
タヌキに
会えるの？

タヌキ？

うちの実家の
裏山になら
いるけど…

親父――♡

ぶんぶんぶん

104

なんで親父が異動させられなきゃならないんだよな

シンはどこまで周りに迷惑かけりゃ気がすむんだ

しかも自分はのん気に鑑別所に逃げ込みやがって

まあ そう言うな

私は元々仕事に対する考え方が周りと合わなくて疎まれてたからな

異動させるのにいい口実が出来ただけの事だよ

まあバンドとソロの曲は変えた方がいいっていうのは分かるし別にいーけど

あたしソロではパンクは歌わせてもらえないんだよ

…そうか

でもあたしはやっぱりパンクが歌いたいし

ブラストが復活したらまた川野さんにプロデュースしてもらえるように会社に頼んでやるよ

ソロで売上げナンバーワンになったらそれ位の発言権は持てるよな？

・・・・・・

仕事熱心なのはいいがレンとはどうなってるんだ

私は花嫁衣装を着たナナが早く見たいんだがな

どうした上手く行ってないのか

あたしはそんなトラネスみたいなダサい衣装着たくないし

・・・・・・

でもそんなんじゃ
ギター弾けないし！

……！

やっぱり
仕事より
医者行き
ましょう！

ほっとけ……

大丈夫
だって……

ヴロロロ……

事務所
寄って……

え？

それより
まずは
医者に…

事務所には
おれが連絡
しますから

社長室

レン……

いーから
早く行け！

こないだも
あげたばっかり
なのに…

だいたい
それ、そんな
安いもんじゃ
ないんだし……

なんでそんなに
ハマる程
やるんだよ…

は

……

じゃーおれ
ナオキの
撮影の方
行くから

……はい

行ってらっ
しゃーい♡

レイラと
タクミ何か
あったの?

え?
何かって?

……

TRUST的
イケナイ
出来事♡

ねー
マリちゃん

ウィーン

それは
ありえない
ですよ

レイラさん今日
なんかボンヤリ
してたしきっと
またお説教ですよ

111

何考えてんだよ
おまえは……

ごめんなさーーい

全然
仕事にも集中
してねえし

ガミ
ガミ

あんな態度じゃ
周りに怪しまれるし

正座

ごめん！
明日から
ちゃんと合格点
取れるように
がんばるから

そんなもんに合格
してどーすんだよ

愛人失格

頭冷やせ

112

シンが月末に戻って来るってさ

おかったネ♡

家で会わせてやるから縒り戻せよ

奈々も協力してくれるって♡

何それ酷い！

人でなし！

おまえに言われたかねえよ

シンの事さんざん本気にさせてどん底に突き落としといて

こんな時によく他の男に欲情出来るよね

がぁっ

日本に来て言葉も
ろくに通じなくて
独りぼっちで
あの女しか頼れる
人がいなかったって

自分を支配する
悪魔みたいな
女だって気づいて
からも

憎くても
嫌いになれなかった
って言ってた

ほんとは今も
好きなのかも……

いやそれは
気のせいだ

おまえ
こーゆー話
聞いた事
ない？

拉致された
被害者が

犯人を好きに
なる事が
あるって話

あたしは確かに
シンちゃんに
未練があるし…

傷つけた
罪悪感も
あるけど…

あたしは誰かを
好きになっても
結局タクミを…

だからそれは
気のせいだって！

分かんねえやつだな

……

昨日のキスは
なんだったの？

キスなら
しょっちゅう
してたろ

あれは子供の頃
するキスとは
違うよ

ガキの
マリちゃんが
来なかったら
止まらな
かったくせに！

がっついて
来たのは
そっちだろ

118

タクミ！

あれ？

タクミ？

どーしたのー？

見張らなくてもマジメにやってるよー

ねーねー

このカラーリングかわいくない？

ぶっちゃってかわいくない？

かわいいとも

いや単におまえの能天気な顔が見たくなっただけだよ

じゃーな

？

おれ何かした？

何あれ超怖い！

おれ何かした？

いやなんか今日ため息ばっかりついてたし燃えつき症候群かな…

タクミが燃えつきたらトラネス帝国は崩壊するよ！

そーだよな

みんなちょっとタクミに頼りすぎだし

おれもしっかりしなきゃ

大事なもの全部捨てて
上京して
トラネスに賭けたの

がんばろうね

124

せっかくの才能が泣くぞ

本気で辞める気なのかよ おまえ

あんな先行きの見えねえ小僧の為に

何の才能よ！

演技のだよ…

それがちゃんと見てくれるやつがいたんだよ

そんなの誰も見てくれてないし

どーせ早送りしてホンバンだけ見てんだから

「この映画は絶対 香坂百合で撮りたい」って

原作はロングセラーだし

まあR指定にはなるだろうけどホンバンもねえぞ

127

監督 誰!?

ロンデ セラ っての

認められ てえか

おれは世間に香坂百合の実力を認めさせてやりてえよ

新宿の路上で倒れかけてたおまえを拾った時からずっと目をかけて来たんだ

よく言うよ

すとん

売り飛ばすつもりだった事ぐらい知ってんだから

文句言ったり逃げ回ったりしながらも

まあ最初はそのつもりだったんだけどな

百合は他の根性のねえ家出娘とは違ったからな

現場では一切手ェ抜かずに本気の仕事するじゃねえか

おれはそれをずっと見て来たんだ

せっかくのチャンスを棒に振るなよ……

ねえナナ

こんな話 知ってる？

拉致された被害者が

犯人を好きになっちゃう事があるって話

お帰りなさい！

早かったね♡

コツン

大丈夫？お熱はないみたいだけど…

は〜

も…疲れた…

も…ずっとここにいたい…

あのグラスが割れた朝

あたしがタクミに救いを求めたのも

なんかそんな感じの罠に
嵌ったからな気がするんだけど

それでもほんとに好きだったの

タクミがたとえ何処にいようと
その間すっかり
あたしの事を忘れていようと

疲れたら帰りたいと思える
場所を作らなければと思った

それしかあたしに勝算はない

家庭裁判所

本当に
お世話に
なりました

二度と同じ
過ちを繰り
返さないように

しっかり
がんばりなさい

お世話に
なりました

はい

ヴ゛ロロロロ‥‥

保護観察で済んで良かったわねシンちゃん

年少送りになって丸刈りにされたらどーしようかと思った

うふふ♡

あなた本当に反省してるの!?

ねえ煙草持ってない?

山岸さんも良かったらパーティーに顔出してね

8時から♡

いやおれはここにいるのが仕事だから

何のパーティー?

まさか僕の出鑑祝いじゃないよね

お務めご苦労さん♡

よおお帰りシン

これからは自分のやるべき事だけ考えて

一歩ずつ行動に移せ

立ち止まって省みる事も一か月ありゃ充分出来たろ

閉じこもっていじけてるヒマなんかおまえには一秒もねえんだよ

聞いてるよ……

最初にまずやるべき事はなんだ

おい聞いてんのか!

ガバッ

カチャッ

401

最初にまずやるべき事はなんだ

シン！

なんか
おまえ
また背の
伸びて
ない？

あー
良かった！

元気そうじゃ
ねえか

142

もういいよ
シンちゃん

顔上げて

あたしなんて失敗だらけ

人生に失敗は
つきものだよ

てめえは関係
ねえだろ

黙ってろ

シン

過ぎた事にとやかく
言いたくねえけど

本気で悪いと思ってん
なら土下座ぐらい
したらどうだよ

・・・・・・

・・・・・・

ドゲザ
って・・・？

ナナ！

別にわざと
ボケてるわけじゃ

なんでこんな簡単な日本語も分かんねえんだよ

もー出て行け！

それは別にシンのせいじゃねえだろ

そーゆーのはただのイジメだぞ！

いいかげん覚えろよ日本語

ごめんなさい…

まったくもー

でも僕はもうどこにも帰る所がないし…

お帰り

ピルル

うん

近いうちに遊びに行ってもいい？

もちろんだよ！

今すぐでもいいよ！

ただしパパがいるけど

心配かけて本当にごめんね

僕は大丈夫だよ

最近パパなんだか知らないけど仕事持ち帰ってまで帰りが早いの

それは嫌だよね

いちゃ悪かよ

……

まごとはいーからちょっと代われ

もー

良かったじゃん

そーなの？

きっと女にふられたからだと思うの

でもどーせまたすぐに作っちゃうから

ママの戦いは終わらないのよ？

もしもし
シン──?

……はい

え?

おまえさ──

今でも
レイラの事
好き──?

タクミ！

なんで
そんな
デリケートな
話を
いきなり
スパッと
切り
出すのよ！

それは言葉の
ナイフよ！

……

だって
他に
話す事
ねえし

あるでしょ
思いやりの
言葉が！

レイラさんが
どうかしたん
ですか？

いや
どーかしてるのは
元々だけど
どーにも手に負え
ねえっつーか

まったく
もー──

なんとか
してやって
くんない？

D 02/02/26 21：18
F レイラ
S 報告

タクミに言われた通り
この2週間頭を冷やし
て色々考えました。
私のタクミへの想いは
たぶん一生捨てる事は
出来ないけど、シンち
ゃんに対する想いも今
はまだ変わらないから

もう一度会えるものな
ら会いたいです。

出直せって言ったのはタクミさんだよ？

ピルル

‥‥‥

あ　タクミさん?

実は内密に相談に乗ってもらいたい事が…

おれだってもう余裕ねえよ

おれじゃないとダメなの──?

…………

ごめんね話の途中で

すみませんお疲れの所…

誰に相談すればいいかずっと悩んでたんですけど…

パタン

ビミョ〜

いや喜んでいーのかな

でもタクミは最近キレないし優しいし

あたしの愛の力かしら♡

カチャ

まあ相変わらずの所もあるけど前より人としてまともになって来た気がするし

社長室

‥‥‥‥

ノック位しろよ

失礼なやつだな

レイラさん
との事も

あんな風にシンちゃんに
直接頼むくらいだし
やっぱりあたしの
思い過ごしだったんだ

でもだとしたら
レイラさんは

シンちゃんに
会えるこの時を
待ちわびていた
かもしれないな

レイラさんなら
待ち続けて
くれるだろうか

愛しい人が
力をつける
その日まで

あたしには
出来なかった
素敵な事

もーノブ
こんな所で
寝ないで~部屋行こ

しょーがないなぁ

ん～

ジャラ
ジャラ
ジャラ

す

相変わらずラブラブだね

世界で一番うざい

いやも――うざくてしょーがねえよ

よかった♡

百合ちゃんと四海の契約もあと一か月で切れるしな

もうひと

ひとふんばりだ

そーいやミューさんはいつ香港から帰って来るの?

瞬ちゃんにも早く謝りたいのに

ワン切り?

男?

プルルッ

金本

......

事務所からの呼び出しですよ

行かなくちゃ

すみません

こんな時間に?

安月給なのにひでーよな

いくら仕事でも理不尽な要求には抗議した方がいいぞ?

ご心配には及びませんよ

美里ちゃん

カタ...

6

162

何それ

魔王のお告げ？

だから魔王じゃなくてタクミがね

あいつが——ぜってー大魔王だよ

もし真面目に聞いてよ

聞いてるけど…

レンにもし何かあったんならフツーにそー言うだろ

そーだけどなんか不吉な予感が……

タクミはあたしとレンが別れたら商売的に面倒だから

きっとあれだよ

そーゆー意味不明のハッタリ言えばあたしが惑わされて帰ると思ってんだよ

そーはいくかよ

ツー……！

…………

してみる！

そっか！

レンにせめて
電話だけでも
してみてよ

でもなんか
心配だし

じゃ——
てめえが
すれば？

タクミが
なんて？

ちゅるる

いちご
ミルク

プルル

プルル

……………

プルル

プルル

カチッ

ミ

レン ▶‖

ピッ

なんで犬から猫が生まれるんだよな

・・・・・・

ありえねえ

お騒がせしてごめんなさい。レンは全然元気でした。しかも子供の名前考えてくれるって♡レンが名付け親ならたとえタマでもOK！

僕にも見せて

一緒にいてみなきゃ分かんねえだろ

でも今一緒にいてもどっちみち続かねえもん

タクミは根拠のねえハッタリは言わねえぞ

でもおまえ・・・

次に会うタイミング位自分で決めるよ

永遠に失いたくなかったら

今そばにいろって

やっぱり王子様が大人になるまで待ってやれ

おまえさー

たとえ何年先になっても

迎えに来てくれる低ーい可能性を信じる位の事してみろよ

乙女なら

やっぱりシンちゃんは……

あたしとはもう会いたくないって言ったんだね

言ってねえよ

信じて待ってて

無理だよ…

あたしは愛をお金で買うような女だよ？

ほんとに金で買ったのかよ

何ゆってんだよ……も

言ってるって

そんな御伽話のヒロインにはもうなれない

もうちょっとロマンを持て

170

レンが与えてくれたこの愛しい名前を

ナナにも呼んで欲しいよ

ＮＡＮＡ－ナナ－ ⑲／おわり

7F スナック

淳子の部屋

熊本県 美枝子

フランス Cathy杉山

韓国 趙恩京

宮崎県 P.N 林檎

札幌市 山田貴子

埼玉県 P.N ジョディー♡

Black Stones

LAYLA
―レイラ―

いらっしゃいませ

174

美雨……

何やってんだ
こんな所で

ロケで香港じゃ
なかったの？

それは本編の話

淳子
ちゃんは？

混同しないで

まいったな

知らないわよ

せっかく読者が葉書
送ってくれてるのに

誰も真面目に
やらないんだもん

もう見て
いられなくて

いったい何の
為にこの店は
あるの？

おれが飲む為
だよ

バーボン
ロックで

…………

それにあたし
ずっと気に
なってた事が
あるのよ

10巻の56頁の
タクミのセリフ
なんだけど…

今更10巻？

NANA

「事実がどーかなんてどーでもいーよ!」になってるけど

うそだよそんなの!

「事実かどーかなんて」の写植ミスじゃないの?

事実がどーでもいーぢゃね!

いちいち!

17巻の回想シーンではここは「か」になってるし

……………

いやまあそーかもしれねえけど

そんな細かい事はどっちでもいーじゃねえか

意味は通じるし

よくないよ次は11巻の130頁のナナちゃんのモノローグ

……………

「あたしは奇跡だ」じゃなくて

「あたしには奇跡だ」じゃないの?

「あたしは奇跡だ」

愛する人に愛されるなんてあたしは奇跡だ

なんでこんな重大なミスを今まで放っておけるのよ…

……………

これぢゃあ意味不明だし……

いやまあでも そんな昔の事は 読者はとっくに 忘れてるよ

むしかえすな

それと

それよりこれから 実在のジャクソン ホールに飲みに 行かねえか

美雨

酒も飯も旨いし

なごむよ?

・・・・・・・・・・

何言ってるのよ… この店が存続の 危機に直面してる 事をもう少し 深刻に考えてよ

でもジャクソンも 存続の危機で 大変だったのよ?

なんであたし こんな不真面目な男と 本編で恋人同士なんだろう… おすけけページは そうじゃないから

一時はどうなる 事かと 思ったけど

え?

そうなの?

実は周辺の 再開発で 立退きを余儀無く されてさ

無事に移転先が 見つかって 新装開店に こぎつけたから

是非とも 行ってみたいと 思ってさ

そうなんだ…

よかった

本編じゃそうそう2人で外出するなんて出来ねえけど

おまけページならいーじゃねえか

美雨と一緒に行きたかったんだ

✱•*✱ 2008年4月 ✱•*✱
☆『ジャクソンホール』移転のお知らせ☆

東京都調布市布田1-3-1 イエローストーンビル1F

調布駅北口から徒歩で行けます。
天神通りと甲州街道がぶつかる所。
待ってまーす♡

姉妹店「シェラック」も同ビル2Fに移転しました

なあに? ジョージ♡

たまには下界へ飲みにでも行くか

ジャクソンの社長は料理のみならず内装も自分で手がける程のこだわり屋だから

きっとまた素敵な店になっているよ

イザベラ

ヤサワビル6F
小泉ジョージね
港ちゃんより

隊長！
ジョージとイザベラが館を離れました！

ナナさんとハチ子さんの肉体を救出するチャンスです！

マジ!?
待ったかいがあったよ！

じゃー実和子が地下室まで案内するね♡

ケガも治ったしよかったね♡

でもこの原稿の〆切の時間なので作者がこれ以上は描けません！

何それ!!

おハガキ待ってます！

〒101－8050
東京都千代田区一ツ橋
2－5－10
集英社Cookie
編集部気付
矢沢あい
「淳子の部屋」係

☆そもそも不真面目な作者に問題あり？「淳子の部屋」相変わらず存続の危機！

収録作品メモ─────────

『NANA－ナナ－』⑲巻 ■クッキー・平成20年1月号から4月号に掲載

♥りぼんマスコットコミックス クッキー

# ＮＡＮＡ－ナナ－ ⑲

2008年5月20日　第1刷発行

著　者　　　矢沢あい
©Yazawa Manga Seisakusho　2008

編　集　　　株式会社 創美社
〒101-0051 東京都千代田区神田神保町2－2
共同ビル
電話　03(3288)9823

発行人　　　礒田憲治

発行所　　　株式会社 集英社
〒101-8050 東京都千代田区一ツ橋2－5－10
電話　編集部　03(3230)6175
販売部　03(3230)6191
読者係　03(3230)6076
Printed in Japan
印刷所　　　凸版印刷株式会社

ISBN978-4-08-856816-4　C9979